Giacomo ɔcini

Madama Butterfly

Tragedia giapponese in tre atti	Japanese tragedy in three acts
Libretto di Giuseppe Giacosa e Luigi Illica	**Libretto** by Giuseppe Giacosa and Luigi Illica
	English version **by Ruth and Thomas Martin**

Prima rappresentazione: Milano, Teatro alla Scala, 17 febbraio 1904	*First performance:* Milan, Teatro alla Scala, 17th February 1904
Uraufführung: Mailand, Teatro alla Scala, 17. Februar 1904	*Première représentation:* Milan, Teatro alla Scala, le 17 février 1904

Riduzione per canto e pianoforte Klavierauszug	Vocal score Réduction pour chant et piano

C014991760

RICORDI

Grafica della copertina • *Cover design*: Giorgio Fioravanti, G&R Associati

Copyright © 1954 Universal Music Publishing Ricordi S.r.l.

Tutti i diritti compresi di rappresentazione e registrazione sono riservati a
All rights reserved (included performance and recording rights) to
Universal Music Publishing Ricordi S.r.l.

Copyright © 2006 Universal Music MGB Publications S.r.l.
via Liguria 4 – 20098 Sesto Ulteriano – San Giuliano Milanese MI (Italia)

Produzione, distribuzione e vendita • *Production, distribution and sale*
Universal Music MGB Publications S.r.l.
via Liguria 4 – 20098 Sesto Ulteriano – San Giuliano Milanese (MI) – Italia

Catalogo completo delle edizioni in vendita, consultabile su:
All current editions in print can be found in our online catalogue at:
www.ricordi.it – www.ricordi.com – www.durand-salabert-eschig.com

Tutti i diritti riservati • *All rights reserved*
Stampato in Italia • *Printed in Italy*

CP 129166/05
ISMN 979-0-041-29166-6
(edizione in brossura • *paperbound edition*)

CP 129166/04
ISMN 979-0-041-37102-3
(edizione rilegata in tela e oro • *gold stamped cloth binding*)

Riassunto del libretto

Atto I. A Nagasaki, primi del Novecento. Il tenente della Marina degli Stati Uniti, Pinkerton, insieme al sensale Goro, si trova nella casa che ha acquistato per farne un nido d'amore con Cio-Cio-San, detta Madama Butterfly, la geisha che sta per sposare. Fra i primi invitati giunge il console americano Sharpless, al quale Pinkerton confida la sua facile filosofia dell'amore: sposerà Butterfly con il rito giapponese, con la riserva di poterla lasciare quando avrà trovato una vera sposa americana. Sharpless lo rimprovera bonariamente, ma poi brinda con lui, mentre dalla collina giunge il corteo nuziale. Dopo i saluti, il console apprende da Butterfly che la sua famiglia un tempo era assai prospera, ma ora è finita in miseria, e lei ha dovuto fare la geisha. Suo padre è morto, ma ha un parente, lo zio Bonzo; giungono la madre e gli altri parenti, e si comincia il rinfresco. Mentre tutti i parenti di Cio-Cio-San banchettano, lei mostra a Pinkerton i suoi oggetti più cari, fra cui un astuccio misterioso; e Goro spiega che si tratta della lama che l'imperatore ha regalato al padre di lei, con l'invito a fare harakiri. Poi Cio-Cio-San confida di essere andata alla missione per farsi cristiana, ma prega Pinkerton di non dirlo ad alcuno: guai se lo sapesse lo zio Bonzo. Si celebrano le nozze; ed ecco che si ode di lontano la voce terribile dello zio che maledice e rinnega Butterfly. Pinkerton, infastidito, caccia via tutti, e resta solo con la giovane sposa.

Atto II. Suzuki, la cameriera di Butterfly, prega davanti alla statua di Budda perché Butterfly non pianga più: da tre anni Pinkerton è partito per gli Stati Uniti, e non si è fatto più vivo. Butterfly, tuttavia, non ha dubbi sul ritorno di lui, anche se ora deve combattere con la crescente miseria. Anche Goro e Sharpless vorrebbero farle cambiare idea; il primo proponendole un altro marito, il ricco Yamadori, che potrebbe risolvere tutti i problemi; il secondo tentando invano di farle capire che Pinkerton è ormai deciso a non tornare da lei. Sharpless vede anche il bambino di Butterfly, e promette che informerà Pinkerton di ogni cosa. Intanto Suzuki ha trascinato in casa Goro, reo di aver detto che nessuno sa chi sia il padre del bambino; Butterfly vorrebbe ucciderlo, ma in quell'istante si sente un colpo di cannone che annuncia l'arrivo della cannoniera "Lincoln", la nave di Pinkerton. Butterfly, in preda a una gioia irrefrenabile, ordina a Suzuki di preparare la casa per l'arrivo del marito e, indossato l'abito da sposa, si pone con il bambino davanti alla vetrata, in trepida attesa del mattino e dell'arrivo di Pinkerton.

Atto III. È ormai l'alba, e Butterfly è ancora in attesa, col bambino; a fatica Suzuki riesce a convincerla ad andare a riposare. Subito dopo entrano in casa Pinkerton e Sharpless, mentre Kate, la moglie americana di lui, resta fuori ad aspettare. Suzuki narra ogni particolare al tenente, e questi, disperato, si allontana; resta solo Sharpless, a cercare di convincere Butterfly ad affidare il bambino a Kate. Suzuki le parla, e si avvicina a lei anche Kate; Butterfly accetta di cedere il bambino, ma chiede che sia lo stesso Pinkerton a riceverlo dalle sue mani, mezz'ora dopo. Rimasta sola Butterfly riordina ogni cosa, poi va al reliquiario, prende la lama che è servita per l'harakiri del padre, e sta per trafiggersi quando entra il bambino. Ella lo copre di baci, poi lo fa sedere, gli benda gli occhi, gli mette in mano una bandierina americana; quindi si ritira dietro il paravento a uccidersi. Un attimo dopo giunge Pinkerton, che, singhiozzando, s'inginocchia accanto al corpo senza vita di lei.

Synopsis of the libretto

Act I. Nagasaki, the beginning of the 20th century. Pinkerton, a lieutenant in the United States Navy, is with the marriage broker Goro in the house that he has bought to use as a love-nest with Cio-Cio-San, the geisha he is about to marry. The first guest to arrive is Sharpless, the American Consul, to whom Pinkerton confides his easy philosophy of love: he will marry Butterfly in a Japanese ceremony, while reserving the right to leave her when he has found a real American wife. Sharpless reproaches him good-humouredly, but then drinks a toast with him as the bridal procession comes up the hill. After Butterfly and her friends have formally paid their respects, the Consul learns from the girl that her family was once very prosperous but has now fallen on hard times, and she has had to become a geisha; her father is dead. Her mother and other relatives arrive, and the reception begins. While all Cio-Cio-San's relatives are celebrating, she shows Pinkerton her most treasured possessions, among which is a mysterious sheath; Goro explains that it contains the dagger which the emperor gave to her father, inviting him to commit hara-kiri. Then Cio-Cio-San reveals to Pinkerton that she has been to the mission to become a Christian, but begs him not to tell anyone. The wedding ceremony is performed, but the festivities are interrupted by the terrible voice of Cio-Cio-San's uncle, the Bonze, in the distance. When he arrives he curses her and repudiates her. Pinkerton angrily drives everyone away and remains alone with his young bride.

Act II. Suzuki, Butterfly's maid, is praying before the statue of Buddha that Butterfly may weep no more: Pinkerton left for the United States three years before and nothing has been heard of him since. But Butterfly does not doubt that he will return, even though she now has to cope with encroaching poverty. Goro and Sharpless hope to make her change her mind, the former by offering her another husband, the rich Prince Yamadori, the latter by attempting in vain to make her understand that Pinkerton has decided not to come back. Sharpless sees Butterfly's son and promises that he will tell Pinkerton everything. Meanwhile Suzuki has dragged Goro into the house for spreading the rumour that no-one knows who the child's father is; Butterfly threatens to kill him, but at that moment a cannon is heard announcing the arrival of the "Abraham Lincoln", Pinkerton's man-of-war. Butterfly is overcome with joy, orders Suzuki to prepare the house for her husband's arrival and, putting on her wedding attire, settles down to wait with her son, having pierced holes in the shosi through which they peer in expectation.

Act III. It is now dawn and Butterfly is still waiting with the boy; Suzuki manages to persuade her to go and rest. As soon as she has gone Pinkerton and Sharpless come into the house, while Kate, Pinkerton's American wife, waits outside. Suzuki tells the lieutenant all that has happened, and he goes off in despair; Sharpless stays to try to persuade Butterfly to entrust the child to Kate. Suzuki speaks to her, and Kate approaches her briefly; Butterfly agrees to give up her son, but says that Pinkerton himself must come for him in half an hour. Left alone, Butterfly takes out the dagger with which her father committed hara-kiri and is about to stab herself when the boy comes in. She covers him with kisses, blindfolds him and puts an American flag in his hands, then goes behind the screen and kills herself. A moment later Pinkerton arrives and kneels sobbing beside her lifeless body.

Zusammenfassung des Librettos

Erster Akt. In Nagasaki Anfang des 20. Jahrhunderts. Der Marineoberleutnant der Vereinigten Staaten Pinkerton und der Vermittler Goro befinden sich in dem Haus, das erstgenannter erstanden hat, um daraus ein Liebesnest mit Cio-Cio-San zu machen, Madama Butterfly genannt, die Geisha, die er zu heiraten gedenkt. Als einer der ersten geladenen Gäste trifft der amerikanische Konsul Sharpless ein, dem Pinkerton seine leichtherzige Liebesphilosophie anvertraut: er wird Butterfly nach japanischem Brauch heiraten unter dem Vorbehalt, sie verlassen zu können, sobald er eine richtige amerikanische Braut gefunden hat. Sharpless tadelt ihn gutmütig, stößt jedoch daraufhin mit ihm an, während vom Hügel der Hochzeitszug eintrifft. Nach den Begrüssungen erfährt der Konsul von Butterfly, daß deren Familie einst sehr wohlhabend war, doch nun verarmt ist, und sie gezwungen war, Geisha zu werden. Ihr Vater ist verstorben, aber sie hat einen Verwandten, Onkel Bonzo; es treffen die Mutter und andere Verwandte ein, und man beginnt zu speisen. Während alle Verwandten von Cio-Cio-San schmausen, zeigt diese Pinkerton ihre teuersten Gegenstände, worunter sich ein geheimnisvolles Futteral befindet; und Goro erklärt, daß es sich um den Dolch handelt, den der Kaiser ihrem Vater schenkte mit der Aufforderung Harakiri zu verüben. Daraufhin enthüllt Cio-Cio-San zur Mission gegangen zu sein, um sich zum Christentum zu bekehren, doch bittet sie Pinkerton dies niemand zu sagen: es wäre furchtbar, wenn Onkel Bonzo davon erfahren würde. Die Hochzeitsfeier wird schließlich abgehalten und aus der Ferne hört man die erzornte Stimme des Onkels, der Butterfly verflucht und verstößt. Pinkerton ist verärgert und jagd die Gäste fort, um mit seiner jungen Gemahlin allein zu bleiben.

Zweiter Akt. Suzuki, die Zofe von Butterfly betet vor einer Buddastatue darum, daß Butterfly nicht mehr weinen möge: seit drei Jahren ist Pinkerton in die Vereinigten Staaten abgereist und hat sich nicht mehr gemeldet. Butterfly bezweifelt jedoch nicht, daß er zu ihr zurückkehrt, auch wenn sie nun gegen die wachsende Armut zu kämpfen hat. Auch Goro und Sharpless versuchen sie umzustimmen; erstgenannter schlägt ihr vor, neu zu heiraten; und zwar den reichen Yamadori, der all ihre Probleme lösen könnte; der zweite, indem er versucht, sie zu überzeugen, daß Pinkerton inzwischen entschlossen ist, nicht mehr zu ihr zurückzukehren. Sharpless sieht auch das Kind von Butterfly und verspricht, Pinkerton über alles zu informieren. Inzwischen hat Suzuki Goro ins Haus geschleppt, der sich der Aussage schuldig gemacht hat, niemand wüsste, wer der Vater des Kindes sei. Butterfly möchte ihn umbringen, doch in diesem Augenblick hört man den Kanonenschuß, der die Ankunft des Kanonenschiffes "Lincoln" ankündigt, das Schiff von Pinkerton. Butterfly von unsäglicher Freude erfasst, befielt Suzuki das Haus für das Eintreffen des Gatten vorzubereiten, und zieht selbst ihr Hochzeitskleid an; daraufhin stellt sie sich mit dem Kind vor das Fenster in freudiger Erwartung des Morgens und der Ankunft von Pinkerton.

Dritter Akt. Der Morgen graut inzwischen und Butterfly wartet immer noch mit dem Kind; mit Mühe gelingt es Suzuki, sie zu überzeugen sich auszuruhen. Sofort darauf treten Pinkerton und Sharpless in das Haus ein, während Kate, seine amerikanische Gemahlin, draussen wartet. Suzuki erzählt dem Oberleutnant jede Einzelheit, und dieser entfernt sich verzweifelt; nur Sharpless bleibt, der versucht, Butterfly zu überzeugen, das Kind Kate anzuvertrauen. Suzuki spricht ihr ebenfalls zu und auch Kate nähert sich ihr; Butterfly willigt ein, sich von dem Kind zu trennen, doch fordert sie, daß Pinkerton selbst es eine halbe Stunde später von ihr entgegennimmt. Allein zurückgeblieben räumt Butterfly alle Dinge auf, dann begibt sie sich zum Heiligenschrein, nimmt den Dolch, der für das Harakiri des Vaters diente, und will sich erstechen, als das Kind hereintritt. Sie bedeckt es mit Küssen, dann läßt sie es sich setzen, verbindet ihm die Augen und drückt ihm eine amerikanische Fahne in die Hand. Daraufhin zieht sie sich hinter den Wandschirm zurück, um sich umzubringen. Einen Moment später trifft Pinkerton ein, unter Tränen kniet er neben ihrem leblosen Körper nieder.

Résumé du livret

Acte I. A Nagasaki, au début du XXᵉ siècle. Le lieutenant de Marine américain Pinkerton se trouve en compagnie du marieur Goro dans la maison qu'il a achetée pour en faire son nid d'amour avec la geisha Cio-Cio-San, dite Madame Butterfly, qu'il va épouser. Parmi les premiers invités arrive le consul des États-Unis Sharpless, à qui Pinkerton confie son insouciante philosophie de l'amour : il épousera Butterfly selon le rite japonais, ce qui lui permettra de la quitter dès qu'il aura trouvé une véritable épouse américaine. Sharpless le sermonne gentiment, mais ensuite il porte avec lui un toast à son futur vrai mariage, tandis que le cortège nuptial grimpe la colline. Après les salutations d'usage, le consul apprend de Butterfly que sa famille, un temps très prospère, est tombée dans la misère et qu'ainsi elle a dû se faire geisha ; qu'en outre son père est mort et qu'elle a un oncle Bonze. Surviennent sa mère et les autres parents, et la réception commence. Tandis que tous les invités festoient, Cio-Cio-San montre à Pinkerton ses objets les plus chers, dont un étui mystérieux, dont Goro explique qu'il s'agit du lame donné au père de la jeune femme par l'empereur, avec l'ordre de faire hara-kiri. Puis Cio-Cio-San confie à Pinkerton qu'elle est allée à la mission pour se faire chétienne, mais elle l'enjoint de n'en rien dire à personne: malheur si son oncle le Bonze l'apprenait ! Les noces sont célébrées ; mais tout à coup on entend la voix terrible de l'oncle qui maudit et renie Butterfly. Furieux, Pinkerton, chasse tout le monde et reste seul avec sa jeune épouse.

Acte II. Suzuki, la fidèle servante de Butterfly, prie devant la statue de Bouddha, afin que sa maîtresse cesse de pleurer : il y a trois ans que Pinkerton est parti pour les Etats-Unis, sans plus donner de ses nouvelles. Butterfly, qui doit maintenant lutter contre une misère croissante, ne doute pas, toutefois, qu'il reviendra. Goro et Sharpless cherchent à lui faire abandonner cette certitude : le premier en lui proposant un nouveau mari, le riche prince Yamadori, qui pourrait résoudre tous ses problèmes ; le second en tentant, en vain, de lui laisser entendre que Pinkerton, désormais, a décidé de ne plus revenir. Butterfly montre l'enfant qu'elle a eu de l'Américain à Sharpless, qui promet de tout relater à Pinkerton. Entretemps Suzuki amène Goro dans la maison, l'injuriant pour avoir insinué que personne ne savait qui était le père de l'enfant. Butterfly veut le tuer, mais au même moment, un coup de canon annonce l'arrivée du navire de guerre « Lincoln », l'unité de Pinkerton. Saisie d'une joie débordante, Butterfly ordonne à Suzuki de décorer la maison pour accueillir son mari, et, ayant revêtu sa robe de mariée, elle se place, avec son enfant, devant la porte vitrée, dans l'attente anxieuse du matin et de l'arrivée de Pinkerton.

Acte III. C'est l'aube, maintenant, et Butterfly, son enfant à côté d'elle, n'a pas cessé de guetter ; à grand peine, Suzuki réussit à la persuader de prendre un peu de repos. Sitôt après entrent dans la maison Sharpless et Pinkerton, tandis que Kate, son épouse américaine, reste dehors à attendre. Suzuki illustre au lieutenant tous les détails de la situation, et ce dernier, en proie au remords, s'éloigne. Sharpless cherche alors à convaincre Butterfly de confier son garçonnet à Kate. Suzuki également parle à sa maîtresse et Kate s'approche d'elle. Butterfly accepte de céder l'enfant, mais à condition que ce soit Pinkerton lui-même qui le reçoive de ses mains, une demi-heure plus tard. Restée seule, Butterfly met en ordre toute chose, puis elle ouvre le coffret où elle tient ses reliques, prend la lame qui a servi pour le hara-kiri de son père, et s'apprête à se transpercer, lorsque survient son fils. Elle le couvre de baisers, puis le fait asseoir, lui bande les yeux et place entre ses mains un petit drapeau américain ; ensuite elle se retire dernière le paravent pour se tuer. Un instant plus tard, Pinkerton fait irruption dans la pièce, se précipite vers Butterfly et, en sanglotant, s'agenouille à côté de son corps inanimé.

Personaggi

MADAMA BUTTERFLY (CIO-CIO-SAN)
soprano

SUZUKI, servente di Cio-Cio-San
mezzosoprano

KATE PINKERTON
mezzosoprano

F. B. PINKERTON, tenente della marina
degli Stati Uniti d'America
tenore

SHARPLESS, console degli Stati Uniti a Nagasaki
baritono

GORO, nakodo
tenore

IL PRINCIPE YAMADORI
tenore

LO ZIO BONZO
basso

YAKUSIDÉ
basso

IL COMMISSARIO IMPERIALE
basso

L'UFFICIALE DEL REGISTRO
basso

LA MADRE DI CIO-CIO-SAN
mezzosoprano

LA ZIA
soprano

LA CUGINA
soprano

DOLORE, figlio di Cio-Cio-San
n.n.

Parenti, amici ed amiche di Cio-Cio-San,
servi

A Nagasaki – epoca presente.

Characters

MADAME BUTTERFLY (CHO-CHO-SAN)
soprano

SUZUKI, Cho-Cho-San's Servant
mezzo-soprano

KATE PINKERTON
mezzo-soprano

F. B. PINKERTON, lieutenant
in the United States Naby
tenor

SHARPLESS, United States Consul at Nagasaki
baritone

GORO, a marriage broker
tenor

PRINCE YAMADORI
tenor

THE BONZE, Cho-Cho-San's Uncle
bass

YAKUSIDÉ
bass

THE IMPERIALE COMMISSIONER
bass

THE OFFICIAL REGISTRAR
bass

CHO-CHO-SAN'S MOTHER
mezzo-soprano

THE AUNT
soprano

THE COUSIN
soprano

SORROW, Cho-Cho-San's child
–

Cho-Cho-San's relations and friends,
servants

At Nagasaki – present day.

Indice   # Contents

MADAME BUTTERFLY
by
G. PUCCINI.

Act I.
Hill Near Nagasaki

A Japanese house, terrace and garden.
Below, in the background, the bay, the harbour and the town of Nagasaki.

3

12

129166

They bring glasses, bottles and two wicker lounges: they place the glasses and bottles on a small table,

Pinkerton

Yes, I have bought it for nine hun_dred and nine_ty nine years on_ly,
La com_pe _rai per no _ve _ cen _ to _ no _ van_ta_no_ve an _ni,

and return to the house)

Pinkerton

but ev'ry month at my op_tion, I may can _ cel the
con fa_col _ tà, o _ gni me _ se, di re_scin _ de_re i

Pinkerton

con_tract. This Ja _ pan is fan _ tas_tic,
pat _ ti. So _ no in que _ sto pa _ e _ se

24

129166

law is worth_y of a - dop_tion, I wed for nine hundred ninety_nine years
spo_so al_l'u - so giap_po - ne - se per no_ve - cen_to-no-van_ta_no - ve

on - ly. But I re_serve the right to drop the op - tion.
an - ni. Sal - vo a pro_scioglier_mi o_gni me - se.

A free and ea_sy
È un fa - ci - le van-

gos - pel. "A-
-ge - lo. "A-

dolce

"A _ me _ ri_ca for e_ver!"
"A _ me _ ri_ca for e _ ver!"

(rises, and clinks
glasses with Sharpless)

_me_ri_ca for e_ver!"
_me_ri_ca for e _ver!"

(they sit)

Is your bride ve_ry
Ed è bel_la la

129166

129166

34

129166

36

(Butterfly and her girl friends appear on the stage.
They all carry large bright-coloured umbrellas open.)

44

129166

48

129166

ton has taken Sharpless by the arm, and leading him to one side, laughingly makes him look at the
quaint group of relations.)

(The Imperial Commissioner and the official Registrar bow to Pinkerton
and enter the house, received by Goro.)

Pinkerton

Wood inst.

What a   come‿dy,   this   pa‿
Che   bur ‿ let ‿ ta   la   sfi ‿

Pinkerton

rad‿ing   of my   Nip‿po‿nese   re‿la‿tions,
‿la ‿ ta   del‿la   no ‿ va pa ‿ ren ‿ te ‿ la,

Pinkerton

rent‿ed   out   by month ‿ ly   trad‿ing.   (to Butterfly)
tol ‿ ta in   pre ‿ sti ‿to, a   me   sa ‿ ta.   He's
Do‿

Relations and friends

(4 only)

56

58

129166

64

129166

65

129166

68

129166

Largo

(The relatives rise and disperse in the garden. Goro leads some of them into the house. Pinkerton takes Butterfly by the hand and leads her toward the house.)

llatives.)

Pinkerton

My sweet be _ lov _ ed!
Vie _ ni a _ mor   mi _   o!

poco stent.

Pinkerton

You like our lit _ tle   cot _ tage?
Vi pia _ ce la   ca _ set _ ta?

a tempo

p espress.

(shews him her hands and arms which are encumbered by stuffed-out sleeves)

Butterfly

My Lord B. F. Pinker _ ton,   forgive me...
Signor F.   B. Pinker _ ton,   *per_do _ no...*

ppp

72

129166

78

(Meanwhile Goro has opened the *shosi* - Sharpless and the authorities are in the room, where everything is ready for the wedding. Butterfly enters the house and kneels; Pinkerton stands near her. The relatives kneel in the garden, facing the house.)

The Commissioner

And to the here with men_tioned But_ter_
*ed al_la da_mi_gel_la But_ter_*

The Commissioner

fly, ___ who was born in O ma_ra Na_ga_sa_ki,
-fly del quar_tie_re d'O_ma_ra Na_ga_sa_ki,

The Commissioner

to join in le_gal mar_riage, the first named par_ty
d'u_nir_si in ma_tri_mo_nio, per drit_to il pri_mo,

The Commissioner

by the grace of his free will, the lat_ter by per_
*del_la pro_pria vo_lon_tà, ed el_la per con_*

(The friends cluster round Butterfly and congratulate her: meanwhile the Registrar removes the bond and the other papers, then informs the Commissioner that the ceremony is over.)

82

129166

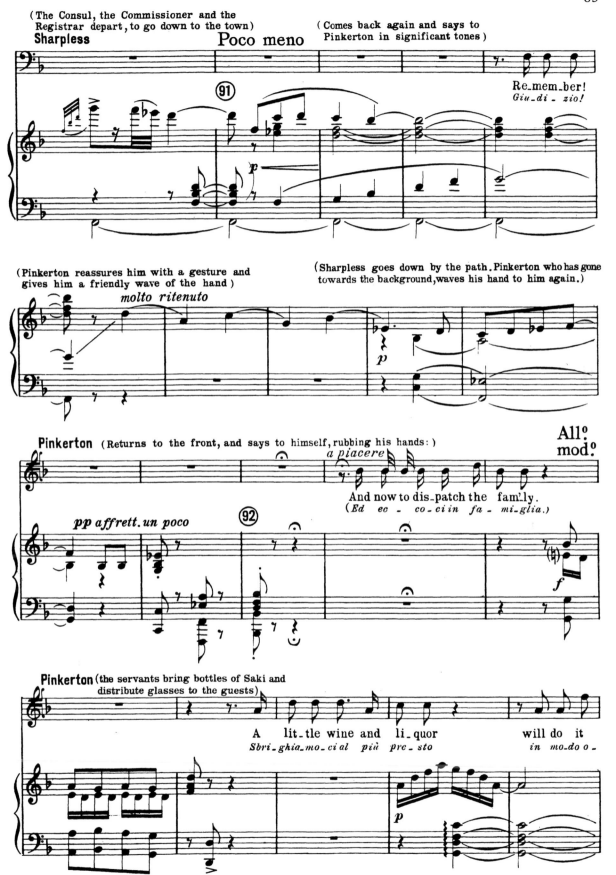

129166

92

129166

(By degrees the voices grow faint in the distance. Butterfly remains motionless and silent, her face buried

in her hands, whilst Pinkerton has gone to the top of the path, to make sure that all these troublesome guests have really gone)

94

95

129166

98

129166

106

129166

111

129166

112

116

118

End of Act I.

Act II.

Inside Butterfly's House.

The curtain rises: — The curtains are drawn, leaving the room in semi-darkness. Suzuki, coiled up before the image of Buddha, is praying. From time to time she rings the prayer-

-bell. Butterfly is lying on the floor, her head in the palms of her hands.)

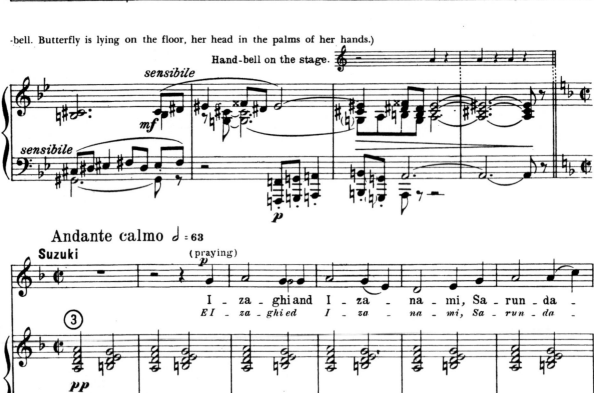

123

129166

Butterfly

coun — try ____ is far more kind — ly, ____ glad to
_di — o ____ son per — su — a — sa ____ ben piu_

dolcemente
p

poco cresc.

Butterfly

an — swer the peo — ple who a — dore Him. He'd grant what I im —
pre — sto ri — spon — de a chi l'im — plo — ri. Ma te — mo ch'e — gli i

poco cresc.

Butterfly

poco rit.   3   3   *a tempo*   (remains pensive)

-plore Him   if He knew where to find me.
-gno — ri   che noi stiam qui di — cu — sa.   cresc. molto

pp poco rit.   *a tempo*

(Suzuki rises, draws back the curtains and slides back the partition at the back, towards the garden).

⑤ *espressivo*

f   *p*   3   *pp*

Butterfly (turns to Suzuki)

Su — zu — ki,   what mon — ey is re —
Su — zu — ki,   è lun — gi la mi —

poco stent.   3   *mf*

126

129166

128

133

134

Andantino.

(Goro and Sharpless appear in the garden: Goro looks into the room, sees Butterfly through a

window and says to Sharpless who is following him:)

Allegretto mosso.

(Goro disappears into the garden)

Goro.

There, please en - ter.
C'è. En - tra - te.

Sharpless.

(approaches and cautiously knocks at the door on the Right)

May I come in...
Chie - do scu - sa...

129166

great charm she asks him:)

(anxious to explain the object of his visit, produces a letter from his pocket.)

Sharpless

I
Ho

Butterfly (interrupting him, without noticing the letter)

Your lord _ ship, how glad I am to see you!
Si _ gno _ re, io ve _ do il cie _ lo az _ zur _ ro.

Sharpless

(after having taken a draw at the pipe which Suzuki has prepared she offers it to the Consul)

came...
qui...

Butterfly

(places the pipe on the table, and says very pressingly)

Would your Hon _ or rath _ er
Pre _ fe _ ri _ te for _ se

Sharpless (refusing) (again trying to resume the thread of his talk)

Thank you...   Well...
Gra _ zie...   *Ho...*

144

146

148

Butterfly

start _ ed to plague me with pro _ po _ sals in the hope I'd con _
_dia _ ve con ciar _ le e con pre _ sen _ ti per ri _ dar _ mio _ ra

Butterfly

cresc.

_sid _ er some al _ lian _ ce. Like the match he sug _
que _ sto, or quel ma _ ri _ to. Or pro _ met _ te te _

cresc.

Butterfly

㉗

_gests with one fool a _ mong his cli _ ents...
_so ri per u _ no sci _ mu _ ni _ to...

mf

Goro (Intervenes, trying to justify himself, entering the room and turning to Sharpless.)

f

The wealth_y Ya _ ma _ do _ ri.
Il ric _ co Ya _ ma _ do _ ri.

150

(Yamadori steps down from the palanguin, greeting Sharpless and Butterfly, who has drawn close to the back wall. Goro is on his kness; Yamadori sits on the terrace, facing Butterfly, who kneels.)

152

154

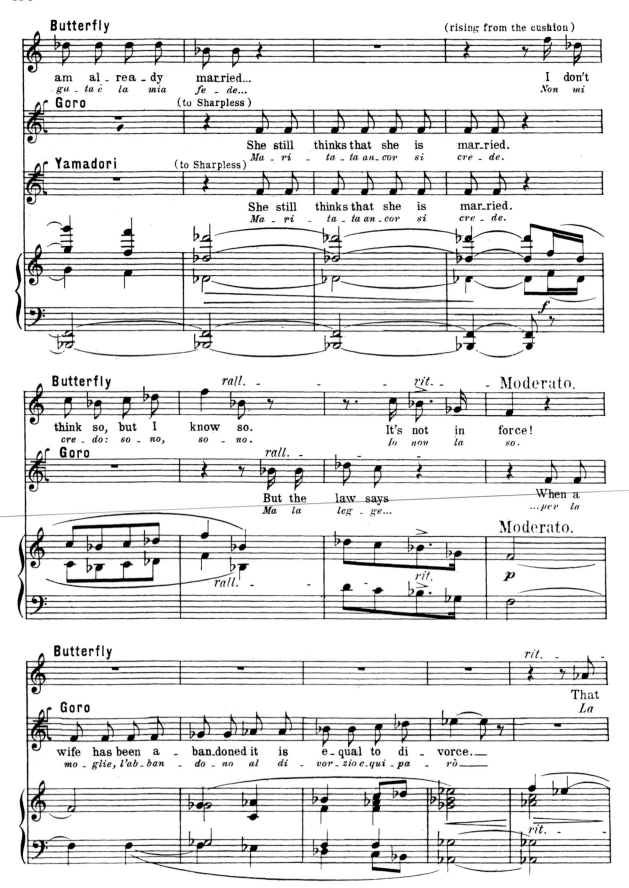

157

129166

158

159

129166

Butterfly

Too bad I am not willing...
Il gua_io è che non vo_glio...

Yamadori

will_ing...
_le _ ste...

(Yamadori, after having bowed to Sharpless, goes off sighing; he mounts the palanquin and exits, followed by Goro and the servants. Butterfly laughs behind her fan.)

Sharpless

(Sharpless sits on the stool, and assumes a grave and serious aspect; with great respect, however, and some emotion, he invites Butterfly to be seated, and once more draws the letter from his pocket)

Sharplesss (angrily) (looks straight

lon _ ger... I'll have to tell the truth to her.) Now
_vie _ ne... *Quel dia _ vo _ lo d'un Pin _ ker _ ton!)* Eb _

col canto _ _ _ _ _ _ _ _

Sharpless
into Butterfly's eyes, very gravely)

lentamente

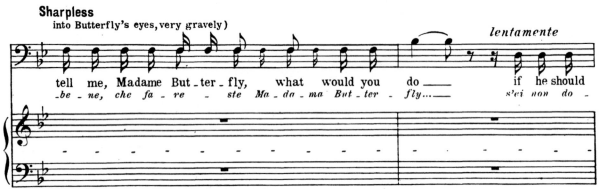

tell me, Madame But_ter_fly, what would you do _____ if he should
_be _ ne, che fa _ re _ ste Ma _ da _ ma But _ ter _ fly..._____ *s'ei non do _*

Sharpless

(Butterfly, motionless as tho' she had received a death-blow, bows
(pausa) **Andante sostenuto.**

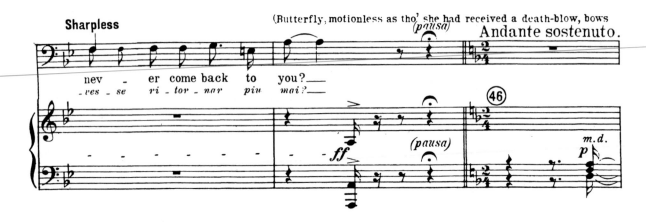

nev _ er come back to you?_____
_ves _ se ri _ tor _ nar piu mai?_____

ff (pausa) (46) *m.d.* *p*

Butterfly
her head and replies with childlike submissiveness, almost stammering)

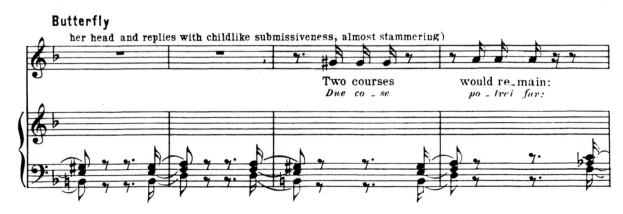

Two courses would re_main:
Due co _ se po _ trei far:

Butterfly
a_gain to en_ter_tain the peo_ple with my
tor_nar... a di_ver_tir la gen_te col can_

Butterfly
songs... Or else,... bet_ter... to die.
_tar... op_pur,... me_glio, mo_ri_re.

(Sharpless is deeply moved and walks up and down excitedly; then he turns to Butterfly, takes her hands in his and says to her with fatherly tenderness)

Sharpless *p*
To de_stroy all your il_lu_sion makes me feel ex_treme_ly
Di strap_par vias_sai mi co_sta dai mi_rag_gii_in_gan_na_

Sharpless
sor_ry, but I beg you take the of_fer of that wealth_y Ya_ma_
_to_ri. Ac_co_glie_te la pro_po_sta di quel ric_co Ya_ma_

172

174

(Butterfly returns triumphantly carrying her baby on her left shoulder, and shows him to Sharpless full of pride)

Butterfly
con entusiasmo
sostenendo
The ba_by?
E que_sto?...
the e

Butterfly
ba_by?
que_sto?...
affrettando

Butterfly
a tempo f
My dar _ ling,___ could he for _ get this lit_tle
e que _ sto e_gli po_tra pu_re scor_

129166

176

179

129166

182

129166

188

falls down, and threatens to kill him. Goro utters loud, desperate and prolonged howls.)

Butterfly

One more word and I'll kill you!
Dil lo an — co — ra e t'uc — ci — do!

Suzuki (thrusts herself between them; then horrified at such a scene, she takes the child and carries him into the room on the left)

No!
No!

mf

calando e dim.

Ped.

Butterfly (seized with disgust she pushes him away with her foot)

(Goro makes his escape.)

Get out!
Va vi — a!

p

(Butterfly remains motionless as though petrified.)

p

195

129166

198

(reappears on the terrace, laden with flowers)

Suzuki Tempo I.

None are left now.
Spo_glio è l'or _ to.

Butterfly

None are left now?
Spo_glio è l'or _ to?

Come and help me.
Vien m'a _ iu _ ta.

Suzuki

Scat _ ter ro _ ses on the
Ro _ se al var _ co del _ la

206

(scattering flowers while they sway their bodies

129166

Butterfly

rall. - - - - - *pp*

a tempo, ma Sostenendo

show — ers, gen-tly un-fold —— the spring! ——
_-be — ne, pe-ta-li d'o — gni fior! ——

Suzuki

pp

show — ers, gen-tly un-fold —— the spring! ——
_-be — ne, pe-ta-li d'o — gni fior! ——

⑧① *a tempo, ma Sostenendo*

p rall.

p con espressione

f   *p accel.*   *mf*   *p rall.*

Andantino sostenuto.

Butterfly (Suzuki places two lamps near the toilet table, where Butterfly crouches down)   (to Suzuki)

Now
Or

⑧②

p   *f*   *p*

Ped.   ✲

Lo stesso movimento.

(The sun begins to set)

Butterfly

help a_dorn me too.
vien _ mi ad a _ dor _ nar.

No! First bring me the
No! pri_a por_ta_mi il

Butterfly (Suzuki goes into the room on the left, and fetches out the baby whom she seats next to But_

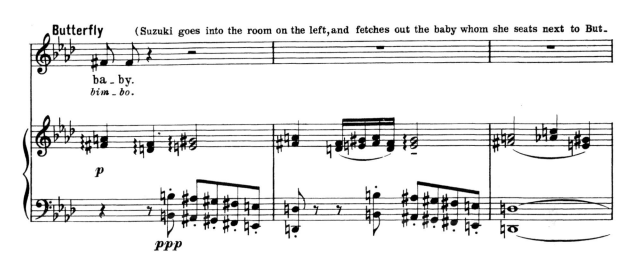

ba_by.
bim_bo.

_terfly; while the latter looks at
herself in a small hand-mirror
and says sadly)

Butterfly

rall.

Andante sostenuto ♩ = 52

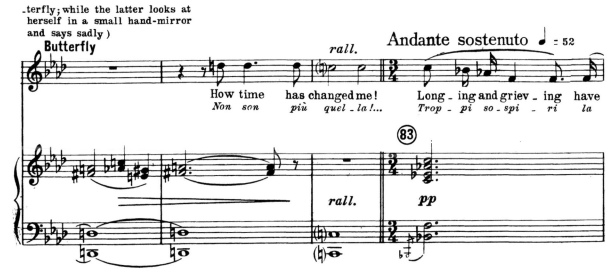

How time has changed me! Long_ing and griev_ing have
Non son più quel_la!... Trop_pi so_spi_ri la

210

129166

Butterfly

My tri _ umph will pain them, I shame them, I scorn and dis-
Bef _ fa _ ti, scor _ na _ ti, bef _ fa _ ti, spen _ na _ ti gli in-

Butterfly

-da in them!
gra _ ti!

(to Suzuki) *rit. a piacere*   **Lento come prima.**

The o _ bi I wore as a bride.
L'o _ bi che ve _ stii da spo _ sa.

Suzuki (has finished her toilet)

I'm rea_dy.
È fat_to.

col canto

Lento come prima.

(88)

Butterfly

(while Butterfly dons her garment, Suzuki dresses the baby in the other one, wrapping him up almost entirely in the ample and light draperies)

Now____ I shall wear it.
Qua____ ch'io io ve _ sta.

Butterfly *f* *poco rall.*   *ritard.*

So____ he may see me just____ as I was my wed _ ding
Vo'____ che mi ve_da in_dos _ so il vel del pri _ mo

poco rall.

col canto

214

Meno ♩= 69.

Butterfly (Suzuki closes the *shosi* at the back)

be. ____
tar. ____ (the night grows darker)

⑧⑨

(Butterfly leads the baby to the *shosi*)

p   *rit.* ____

(Butterfly makes three holes in the *shosi*: one high up for herself, one lower down for Suzuki and a third lower still for the child whom she seats on a cushion, signing to him to look through his hole.   Suzuki,

after having brought a lamp near the *shosi*, crouches down and also gazes out — Butterfly stands in front of the highest hole and gazes through it, remaining rigid and motionless as a statue: the baby, who is between his mother and Suzuki, peeps out curiously.)

rall. ____

pp   *ppp*

(The baby falls asleep, sinking down on his cushion;

Suzuki still in her crouching position, falls asleep too: Butterfly alone remains rigid and motionless).

(The curtain falls slowly)

✳✳ End of Act II

Act III.

Andante molto lento e sostenuto

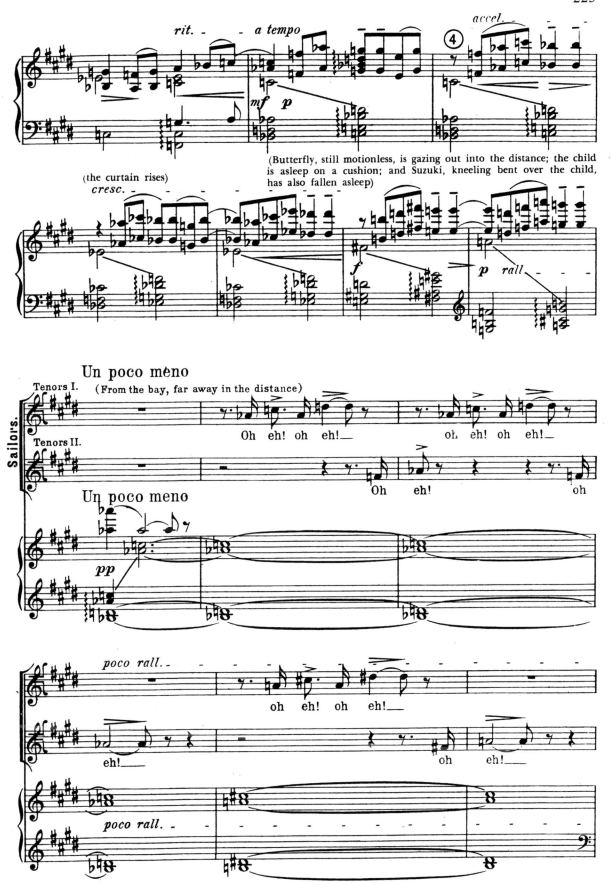

(Butterfly, still motionless, is gazing out into the distance; the child is asleep on a cushion; and Suzuki, kneeling bent over the child, has also fallen asleep)

(the curtain rises)

Un poco meno

Tenors I. (From the bay, far away in the distance)

Oh eh! oh eh!___ oh eh! oh eh!___

Tenors II.

Oh eh! oh

Un poco meno

poco rall.

oh eh! oh eh!___

eh!___ oh eh!___

224

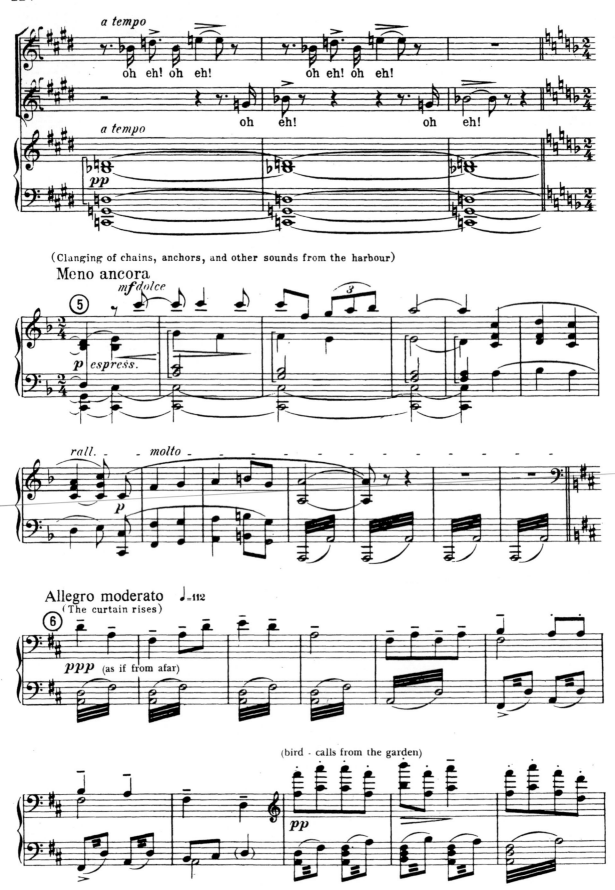

(Clanging of chains, anchors, and other sounds from the harbour)

Meno ancora

rall. — molto —

Allegro moderato ♩=112
(The curtain rises)

(bird - calls from the garden)

(The first streaks of dawn appear in the sky)

(The rosy dawn spreads)

(The day breaks).

(The sunshine streams in from outside)

129166

237

129166

242

(Sharpless approaches Butterfly to talk with her; she is afraid of understanding and shrinks together like a frightened child)

252

Butterfly *sostenendo con aria grave*

Un_der the arch_es of heav_en there's no wo_man as hap_py as you are.
Sot_to il gran pon_te del cie_lo non v'è don_na di voi più fe_li_ce.

sostenendo

Butterfly (passionately)   *muovere un poco*

Stay so for ev_er, nev_er feel sor_ry for me.
Sia_te_lo sem_pre, non v'at_tri_sta_te per me...

muovere un poco

Butterfly   (who has heard, says solemnly, markedly)

I'll
A

Kate (to Sharpless, who has drawn near her)

Poor lit_tle creature!   And may he have his son?
Po_ve_ra pic_ci_na!   *E il fi_glio lo da_rà?*

Sharpless (very moved)

It is ut_ter despair!
E un'im_men_sa pie_tà!

256

129166

(The door on the left opens, showing Suzuki's arm pushing in the child towards his mother: he runs in
with outstretched hands. Butterfly lets the dagger fall, darts towards the baby, and hugs and kisses

⑤⑤ Allegro

him almost to suffocation)

Butterfly

You?
Tu?

you?
tu?

Butterfly

you?
tu?

you?
tu?

you?
tu?

you?
tu?

you?
tu?

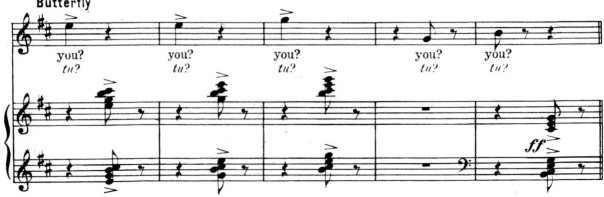

263

129166

264

RICORDI VOCAL SCORES
(Opere, Oratori, Musica sacra)

BELLINI
I Capuleti e i Montecchi (42043/05; 138472, ed. critica)
Norma (41684/05; 41684/04 ril. in tela e oro)
Il pirata (108189/05)
I Puritani (41685/05; 41685/04 ril. in tela e oro)
La sonnambula (41686/05; 41686/04 ril. in tela e oro)
La straniera (108100/05)

BETTINELLI
Il pozzo e il pendolo (131249/05)

BIZET
Carmen (139479)

BOITO
Mefistofele (44720/05; 46855/05 testo in ing., it.)
Nerone (119599/05)

CATALANI
Loreley (54916/05)
La Wally (95257/05)

CHAILLY
Una domanda di matrimonio (131941/05)
Era proibito (130348/05)
L'idiota (131275/03)
Il mantello (130111/05)
Procedura penale (129992/05)
Sogno (ma forse no) (131997)

CIMAROSA
Le astuzie femminili (124388/05)
L'Italiana in Londra (132596/05)
Il marito disperato (132327/05)
Il matrimonio segreto (131862/05, it., ted.)

DONIZETTI
Anna Bolena (45415/05; 45415/04, ril. in tela e oro)
Il campanello (136119, ed. critica)
Le convenienze ed inconvenienze teatrali (136795,)ed. critica
Dom Sébastien (136546, ed. critica)
Don Pasquale (42051/05; 42051/04, ril. in tela e oro; 131527/03, it., ted.; 132875/05 ing., it.)
L'elisir d'amore (41688/05; 41688/04, ril. in tela e oro)
La favorite (135547, ed. critica, fr., it.)
La figlia del reggimento (46263/05)
Linda di Chamounix (42056/05)
Lucia di Lammermoor (41689/05; 41689/04, ril. in tela e oro; 130646/03, ted.)
Lucrezia Borgia (41690/05)
Maria Stuarda (134916, ed. critica)
Poliuto (135661, ed. critica)
Rita (129213/05, it., ted.; 129213/04, ril. in tela e oro)
Roberto Devereux (42047/05)

FALLA
Atlàntida (132481/05; 132481/04, ril. in tela e oro)

FERRERO
Charlotte Corday (134721, it., ted.)
La figlia del mago (137776, ing., it.)
Salvatore Giuliano (134873, it., ted.)

GALUPPI
Il filosofo di campagna (128632/05)

GHEDINI
Le baccanti (126812/05)
L'ipocrita felice (128554/05)
La pulce d'oro (124678/05)

GLUCK
Alceste (49139/05)
Orfeo ed Euridice (46289/05; 46289/04, ril. in tela e oro)

GOUNOD
Faust (53127/05; 53127/04, ril. in tela e oro)

HAENDEL
Il Messia (129624/05, ing., it.)

JOMMELLI
L'uccellatrice (128657/05)

MALIPIERO
L'allegra brigata (128042/05)
Il capitan Spavento (129731/05)
Don Giovanni (130725/05)
Don Tartufo Bacchettone (131076/03)
Donna Urraca (28948/03)
La favola del figlio cambiato (122944/05, it., ted.)
Il figliuol prodigo (128828/04, ril. in tela e oro)
L' Iscariota (131872/05)
Il marescalco (131736/05)
Le metamorfosi di Bonaventura (131735/05)
Mondi celesti e infernali (128096/05)
La passione. Oratorio (123521/03)
Torneo notturno (128172/05)
Uno dei dieci (131868/05)
Venere prigioniera (129737/03)

MASCAGNI
Iris (102181/05; 102181/04, ril. in tela e oro)

MENOTTI
Amelia al ballo (124179/05, ing. it.)

MILHAUD
La mère coupable (130868/05, fr.)

MORTARI
Il contratto (130703/05)
La figlia del diavolo (128647/05)

MOZART
Bastiano e Bastiana (128899/05, it., ted.)
Così fan tutte (130130/05)
Don Giovanni (129777/05; 129777/04 ril. in tela e oro)
La finta semplice (128929/05, it., ted.)
Il flauto magico (129606/05, it., ted.)
Idomeneo (139368)
Le nozze di Figaro (37804/05; 37804/04, ril. in tela e oro)
Requiem (139478)

PAISIELLO
Il barbiere di Siviglia (46102/05)
Nina o sia La pazza per amore (132843/05, ed. riv.)

PERGOLESI
La serva padrona (45390/05; 45390/04 ril. in tela e oro)
Stabat Mater (123718)

PIZZETTI
Assassinio nella cattedrale (129560/05)
Il calzare d'argento (130234/03)
Clitennestra (130754/05)
Dèbora e Jaéle (118751/05; 118751/06 in pelle)
Lo straniero (121457/05)

PONCHIELLI
La Gioconda (44864/05; 47470/05 ing., it.)

POULENC
Dialoghi delle carmelitane (137659, fr., ing.)

PUCCINI
La Bohème (99000/05; 99000/04, ril. in tela e oro; 115494/05 ing., it.; 139445/05, it.-giapponese)
Edgar (110490/05)
La fanciulla del West (113300/05; 113483/05 ing., it.)
Gianni Schicchi (132848/05; 132848/04 ril. in tela e oro)
Madama Butterfly (110000/05; 110000/04, ril. in tela e oro; 129166/05 ing., it.)
Manon Lescaut (97321/05, ing., it.; 97321/04 ril. in tela e oro)
Suor Angelica (121612/05; 121612/04 ril. in tela e oro)
Tosca (103050/05; 135431/05, ed. critica, ing., it.; 135431/04 ed. critica ril.)
Il tabarro (129782/05; 129782/04 ril. in tela e oro)
Il trittico (Gianni Schicchi, Suor Angelica, Il tabarro) (138884/05; 138884/04 ril. in tela e oro)
Turandot (121329/05, ing., it.; 126838/05, it., ted.; 126838/04 it., ted., ril. in tela e oro)
Le Villi (49457/05; 49457/04, ril. in tela e oro)
RESPIGHI
Belfagor (119039/05)
La fiamma (122746/05)
Lucrezia (123648/05)
Maria Egiziaca (122341/05)
ROCCA
In terra di leggenda (123182/05)
Monte Ivnòr (124544/05)
L'uragano (128339/03)
ROSSELLINI
L'annonce faite à Marie (131508/05, fr.)
L'avventuriero (131265/03)
Le campane (129935/05)
La guerra (129179/05)
La leggenda del ritorno (130881/05)
Il linguaggio dei fiori, ossia Donna Rosita nubile (130459/05, fr., it.)
La reine morte (132018/03, fr.)
Uno sguardo dal ponte (130229/03)
Il vortice (129551/05)
ROSSINI
L'assedio di Corinto (87408/05)
Il barbiere di Siviglia (131809, ing., it., ed. critica; 131809/01, ing., it., ed. critica, ril. in tela e oro; 131295/05, ed. critica, it., ted.)
Bianca e Falliero (134029, ed. critica)
La cambiale di matrimonio (113280/05)
La Cenerentola (45707/05; 45707/04, ril. in tela e oro; 131821, ed. critica)
Le comte Ory (42050/05; 132876/05, ing.)
La donna del lago (133191, ed. critica)
Ermione (134548, ed. critica)
La gazza ladra (132722, ing., it., ed. critica)
Guglielmo Tell (40041/05; 40041/04, ril. in tela e oro)
L'Italiana in Algeri (132118, ing., it., ed. critica; 135226/03, ed. critica, it., ted.)
La scala di seta (134555, ed. critica)
Il signor Bruschino (133893, ing., it., ed. critica)
Stabat Mater (49182)
Tancredi (132572, ed. critica)
Il Turco in Italia (132838, ing., it., ed. critica)
Il viaggio a Reims (CP 133821, ed. critica)
ROTA
Il cappello di paglia di Firenze (129054/05)
La notte di un nevrastenico (130119/05)
SPONTINI
La vestale (44686/05; 44686/04, ril. in tela e oro)

TESTI
L'albergo dei poveri (130922/03)
La Celestina (130318/05)
Il furore di Oreste (129365/05)
TOSATTI
Il giudizio universale (128868/05)
Partita a pugni (128694/03, ing., it.)
Il sistema della dolcezza (128689/05)
VERDI
Aida (42602/05; 42602/04 ril. in tela e oro; 44628/05 ing., it.; 129832/05 it., ted.)
Alzira (53706/05; 136944, ed. critica)
Aroldo (42306/05)
Attila (53700/05; 53700/04 ril. in tela e oro)
Un ballo in maschera (48180/05; 48180/04, ril. in tela e oro)
La battaglia di Legnano (53710/05; 53710/04, ril. in tela e oro)
Il corsaro (53714/05; 136997, ed. critica)
Don Carlo (48552/05, in 4 atti; 48552/04, in 4 atti, ril. in tela e oro; 51104/05, in 5 atti; 51104/04, in 5 atti, ril. in tela e oro; 131240/05 ted., it.)
Don Carlos (132213/05 , ed. critica, ed. integrale 4 e 5 atti)
I due Foscari (42307/05)
Ernani (133716, ing., it., ed. critica)
Falstaff (96000/05; 96342/05, ing., it.; 96342/04 ril. in tela e oro)
La forza del destino (41381/05; 41381/04 ril. in tela e oro)
Un giorno di regno ossia Il finto Stanislao (53708/05)
Giovanna d'Arco (53712/05)
I Lombardi alla prima Crociata (42309/05)
Luisa Miller (42310/05; 42310/04, ril. in tela e oro; 134605, ed. critica)
Macbeth (42311/05; 42311/04, ril. in tela e oro; 120841/03, ted.; 136541/05, it.-ted.)
I masnadieri (53702/05)
Messa da requiem (134164, ed. critica)
Nabucodonosor (134570, ing., it., ed. critica; 138771, ted., ed. critica)
Oberto conte di S.Bonifacio (137473/05)
Otello (52105/05, ing., it.; 52105/04 ril. in tela e oro)
Rigoletto (42313/05; 133539, ing., it., ed. critica; 135773, ted., ed. critica)
Simon Boccanegra (47372/05; 47372/04, ril in tela e oro)
Stiffelio (136093, ed. critica)
La traviata (42314/05; 42314/04, ril. in tela e oro; 133060/05 ing., it.; 137341, it., ing., ed. critica; 139332/05, it. giapponese)
Il trovatore (42315/05; 42315/04 ril. in tela e oro; 109460/05 ing., it.; 136183, it., ing., ed. critica)
I vespri siciliani (50278/05; 50278/04, ril. in tela e oro)
VERETTI
Burlesca (128904/03; 128904/04, ril.)
Una favola di Andersen (123212/03)
I sette peccati (129072/03)
VIOZZI
Allamistakeo (129361/05)
Un intervento notturno (129486/03)
VLAD
Il gabbiano (131484/03, ing., it., ted.)
WOLF-FERRARI
Il campiello (123300/05)
ZAFRED
Amleto (129693/05, it., ted.)
Wallenstein (130429/05)
ZANDONAI
I cavalieri di Ekebù (119775/05)
Conchita (113740/03)
Francesca da Rimini (115450/05)